José

José era o amado filho de Jacó. Embora José tivesse mais onze irmãos, ele era o preferido de Jacó, deixando os outros irmãos revoltados e enciumados.

Com a idade de 17 anos, José cuidava das ovelhas de seu pai na companhia dos outros irmãos. Quando dormia, José tinha muitos sonhos e os contava para seus irmãos.

José dizia:

— Um dia, sonhei que amarrávamos feixes no campo. De repente, meu feixe ficou em pé e os de vocês se inclinaram.

E seus irmãos diziam:

— Você acha que vai reinar sobre nós?

E a raiva de seus irmãos crescia cada vez mais.

Um dia, decidiram se livrar de José. Primeiro, levaram-no para bem longe do lugar onde sempre reuniam as ovelhas para pastar. Tiraram dele a túnica colorida que Jacó tinha dado de presente e, depois, jogaram-no em um poço vazio. Iriam deixá-lo por lá, mas então apareceram alguns mercadores de escravos, que o tiraram do poço e resolveram vendê-lo como escravo.

Logo em seguida, os irmãos de José pegaram sua túnica, mataram um bode e a molharam no sangue do animal. Levaram a túnica para que seu pai, Jacó, pensasse que um animal selvagem havia devorado José. José foi levado para o Egito pelos mercadores de escravos. E lá, Potifar, comandante da guarda do Faraó, comprou-o por vinte moedas de prata.

E José tornou-se mordomo na casa de Potifar. Potifar tinha uma mulher má, que enganava seu marido. Ela sentiu-se atraída por José, que era jovem e belo e, então, tentou seduzi-lo. Como José a recusou, ela vingou-se dele, acusando-o injustamente. Potifar, irado, mandou-o para a prisão.

Na prisão, José (que havia recebido de Deus o dom de interpretar sonhos) revelou o significado do sonho do copeiro do rei, dizendo a ele que seria liberto, o que realmente aconteceu a José. Dias depois, o Faraó teve um sonho que ninguém soube interpretar. O copeiro lembrou-se de José e o Faraó mandou buscá-lo.

Quando José chegou, o Faraó disse-lhe:

— Soube que tens sabedoria para interpretar sonhos, então diga-me o que significa: sonhei que subiam do Nilo sete vacas gordas, depois sete vacas magras que devoravam as gordas. Depois vi sete espigas de trigo bem cheias, logo surgiram sete espigas secas e feias que devoravam as cheias.

Deus revelou para José o significado.

E José disse:

— Deus mostrou ao Faraó o que irá acontecer nesta terra, sete vacas gordas e sete espigas cheias serão sete anos de fartura que virão sucedidos por sete anos de fome, representados pelas sete vacas magras e sete espigas secas.

O Faraó, então, perguntou:

— O que devo fazer?

José respondeu:

— O Faraó deve escolher um homem sábio que administre a provisão dos anos de fartura das colheitas do seu reino, para que possam abastecer-se nos anos de fome.

O Faraó apreciou demais as palavras de José e declarou:

— Já escolhi esse homem. Será você, José.

E ordenou que o vestissem com vestes reais e colocou no dedo de José o anel real. Assim, José tornou-se vice-rei do Egito. Nos anos de fartura, mandou construir enormes celeiros e guardar boa parte da colheita.

Quando vieram os anos de fome abriu os celeiros para comercializar com todas as nações. A notícia da venda do trigo no Egito atraiu os irmãos de José que foram para lá a fim de comprá-lo. Não reconheceram José quando o viram, inclinaram-se e o reverenciaram como vice-rei que era. Quando José os viu, logo reconheceu a todos.

Depois de testá-los com duras provas, fazendo-os temer pela própria vida e achar que tudo era castigo de Deus pela maldade que praticaram com seu irmão José, revelou-se a eles. Então, seus irmãos pediram-lhe perdão e o abraçaram, trouxeram depois o velho Jacó para rever o filho que julgava morto. Assim foi a vida de José: um homem que, guiado por Deus, triunfou.

Moisés

Houve uma época em que os israelitas eram escravos no Egito. O Faraó com medo de que eles se revoltassem, decidiu que todo bebê hebreu que nascesse, se fosse menino, deveria morrer.

Uma mãe hebreia deu à luz a um lindo menino e, para salvar seu filho, escondeu-o durante 3 meses.

Não podendo mais escondê-lo, fez um cesto e, colocando nele o bebê, soltou-o no rio Nilo. Miriã, a irmãzinha do bebê, olhava de longe o cesto descer o rio, para observar o que iria acontecer.

A princesa, filha do Faraó, acompanhada de suas criadas, foi tomar banho no rio e achou o cesto. Logo, Miriã se aproximou e ofereceu-se para procurar uma mulher para amamentar e cuidar do bebê. A princesa aceitou. Então foi chamar sua mãe, que o alimentou e cuidou dele até ficar maiorzinho.

A princesa, então, o recebeu e fez dele seu filho, chamando-o de Moisés. Moisés se tornou um homem forte, porém, sabendo que era hebreu, recusou ser um poderoso egípcio e foi para o deserto. Moisés passou muitos anos como pastor, mas Deus o tinha escolhido para salvar o seu povo. Um dia Moisés avistou um arbusto que ardia em chamas, mas não se consumia. Ao se aproximar para ver melhor, Deus falou com ele:

— Moisés, Eu, o Senhor Deus, o escolhi: dou a você autoridade e poder, diga ao Faraó que você é meu enviado e ordene que liberte o povo de Israel.

Então Moisés e seu irmão Arão foram ao Egito e se apresentaram diante do Faraó:

— Venho em nome do Senhor Deus dizer que deves libertar o meu povo, disse Moisés.

— Não conheço seu Deus e não deixarei seu povo ir — respondeu o Faraó.

Então, Deus ordenou sobre o Egito 10 pragas:

1 - A praga que transformou as águas em sangue
2 - A praga das rãs
3 - A praga dos piolhos
4 - A praga das moscas
5 - A praga da doença nos animais
6 - A praga das feridas nos animais e nos egípcios
7 - A praga da chuva de pedras
8 - A praga dos gafanhotos
9 - A praga da escuridão
10 - A morte dos primogênitos - a mais terrível das pragas: o anjo da Morte passou de casa em casa, naquela que não tinha os umbrais pintados com o sangue de um cordeiro (somente os israelitas sabiam desse sinal e, por isso, escaparam da praga) ele entrou e levou o filho mais velho de cada casa.

O Faraó, vencido, deixou o povo de Israel ir embora. E, assim, os israelitas partiram do Egito, 600 mil homens, sem contar mulheres e crianças. Deus foi à frente deles para os guiar: durante o dia, numa coluna de nuvem; durante a noite, numa coluna de fogo para iluminar o caminho.

Quando o Faraó soube que os israelitas tinham ido, arrependeu-se de ter deixado. Resolveu, então persegui-los. Aprontou seu carro de guerra e juntamente com seus soldados foram em busca de Moisés e o povo de Israel. Encontrou-os acampados à margem do Mar Vermelho.

Os israelitas viram Faraó vindo ao encontro deles e temeram. Moisés, porém, disse-lhes: - Não temam, fiquem calmos e vejam o grande livramento que Deus hoje nos dá!!

E estendendo a vara que tinha na mão sobre o mar, as águas se dividiram em duas partes, formando um muro de água de cada lado e o povo pôde passar pelo meio do mar, em terra seca.

O Faraó tentou segui--los, porém, quando estavam no meio do mar, Moisés tornou a estender a vara e o mar se fechou, cobrindo completamente o Faraó, seus cavalos e soldados, morrendo todos.

Assim, Deus salvou seu povo. Peregrinaram durante 40 anos, Deus os alimentou, os protegeu, deu-lhes 10 mandamentos para seguirem e os dirigiu até encontrarem a terra prometida.